ボールのようなことば。

糸井重里

HOBONICHI BUNKO

ほぼ日刊イトイ新聞

ボールのようなことば。

「ひとりぼっちだなぁ」という感覚は、
きりきりっと寒い冬の夜の、
北極星の光のようなものじゃないのかなぁ。
そのほのかな光が見つけられてないと、
じぶんがどこにいるのかわからなくなっちゃう。
「ひとり」が、まずはすべてのはじまりです。

ちょっとずつだけ、ちょっとだけ変わる。
変わってないんじゃないかと思えるような時期もある。
うわぁ、すっかり変わっちゃったと思える日もある。
行ったり戻ったり、足踏みしたりしながら、
あるとき「もう、変わったって言っていいんじゃないか」と、
印をつけたくなるような時が来る。

「わかってもらおうとすること」と
「わかろうとすること」、
このふたつがなかったら、面倒もないだろうけれど、
明らかに血のめぐりが悪くなって、死に近づいていく。
生きているというのは、絶えざる更新なのだから。

弱気と勇気は両立するものである。

「愛しているのに、愛してくれない」と考えがちな人は、
基本的にまちがっている。
つまり、その人は、
「愛する」ことはもともと難しいものだ、
と、知らないのだろう。

「わかりません」とわかるのが、
どれだけむつかしいことなのか。
「わかりません」と答えるまでに、
どれだけの知ったかぶりをせねばならないのか。
たまに、「わかりません」と言えるようになっても、
まだ、わかったような気になってるじぶんに出合う。

「個性的であらねばならない」ということばは、
あちこちでよく語られますが、信じないほうがいいです。
「ねばならない」からと言って、どうするんでしょう？
個性は、ついつい表われてしまう
「訛り」や「顔つき」のようなものです。
「訛り」を身につけるために努力してもしょうがない。

一本の絵筆だけでも、いい絵は描ける。
一色だけでも、いい絵は描ける。
指についた泥でも、いい絵は描けるものだ。

不公平の話って、みんな好きだよなぁ。
宇宙がぜんぶ滅んでも、まーだ不公平はあるよ。
まるまる公平なんて、のっぺらぼうは、あり得ないよ。

『まずは、ボールだ』

あなたが、サッカーをしたいのなら、
まず、何を手に入れますか？
ボールでしょう。

いや、別にシューズでもかまわないんですけどね。
ともだちを手に入れます、という答えでもいい。

野球をしようというときでも、おなじですよね。
ボールがなけりゃはじまらない。
いや、別にグラブやら、バットやらでもいいですけどね。

だけど、ついつい、

うっかりしてると、ルールブックを
先に手に入れようとしちゃったりするものです。

たしかに、ルールは最大の見えない道具です。
ルールは、ゲームのしくみそのものです。
でも、ぜんぶを暗記したからといって、
なにもはじまらないんです。

ボールを投げるとか、ボールを蹴るとか、
もういっそ、ボールと寝るとかね。
そんなふうなことが、はじまりです。

ボールは、いいですよぉ。
ボールは、あまのじゃくで、がまんづよくて。
ボールは、かわいらしくて、やさしくて。

←

あなたの好きなだけ、いっしょに遊んでくれる。
ほったらかしにしても文句もいわないで、
ボールは、待っていてくれる。

あなたにいま必要なのは、
ボールを蹴ること、ボールを投げることです。
目はルールブックを読むんじゃなくて、
ボールの飛んでいった先の空を見るためにあるんです。

ボールは、すべてのはじまりです。
もういっそ、あなたがボールになりなさい。

←

23

ボールのようなことば。

若いうちは、できないことが多いからこそ、
できるようになるよろこびが、いっぱいあるんですよね。

ギターを買ったら、ギターが弾けるようになる。
というようなことは、ほんとはありえないのですが、
ついついそう思っちゃいます。
ギターを買って、練習すれば、ギターを弾けます。
なにもしなければ、なにもできません。
毎日をたのしくするのは、自分です。
ギターを弾くあなたが、音楽を奏でるのと同じ。
ギターは、ただそこにあって、
あなたが弾いてくれるのを待ってるだけです。

「無名」の時間に学んだことというのが、
おそらく、その人の根っこをつくるのだと思います。
「無名」はいずれ「有名」に変わるかもしれないけれど、
「無名」それ自体で、大きな「宝もの」なんです。

「恥ずかしがり」であることは、
恥ずかしいことじゃないと思います。
ただ、いつになっても、いくつになっても
「恥ずかしがり」の役割をやっているというのは、
図々しすぎるような気がするんですよね。
会費を免除されて宴会にいるようなものでしょう。
だから、ぼくはできるだけ直そうとはしてきたぜ。

「ゴールは遠いなぁ」と、がっかりするのも道のりです。

「機会」さえふんだんに得られていれば、
その結果なんて、ほんとは大事じゃないのかもしれない。
結果が重要視されるのは、
結果の良し悪しで
次の「機会」が増えたり減ったりしちゃうからで、
「機会」さえなくならないのであれば、
結果が失敗でもまったくかまわないのだと思う。

あらゆるこんがらがった糸というのは、
根気よくていねいにほどいていけば、
いつかは、すっと一本の糸にもどせる。
逆に、「何か特別にいい方法があるか？」と、
それを探そうとすると、
ますますこんがらがることになる。
とにかく、ほどきはじめることしかないのだ。
ほどくことを、はじめる。
それしかないのだ。

ハワイに行こうという日に、
自分の部屋から、飛行場に向かう道のりは、
「ハワイへの旅」に含まれる。

「聞く」っていうのは、
もう、ほんとにすごいことなんだ。
しかも、誰でもできる。

「言う」人は、聞かれたいから言ってるんだからね。
よく「聞く」人と、いいかげんに「聞く」人の差は、
あきれるほど、どんどん開いていくものなんだ。
人っていうのは、「聞く」人に向かって話すからね。
こいつは「聞く」な、と思えば、
その人のために、どんなことでも話すようになる。

ことばそのものを「聞く」だけじゃなく、
ことばの奥にある「気持ち」だって、
「聞く」ことができるようになる、だんだんとね。

「聞け。とにかく聞くことだ」。
一生懸命に聞く、馬鹿にしないで聞く。
わからなくても聞く。わかっていても聞く。
知ってることでも聞く。聞くまでもないことでも聞く。
おもしろくないことも聞く。
黙っているものからも聞く。
視線を向けて聞く。よい姿勢で聞く。
耳をすませて聞く。

見ることは愛情だと、かつてぼくは言ったけれど、
聞くことは敬いだ。
聞かれるだけで、相手はこころ開いていく。
聞いているものがいるだけで、相手はうれしいものだ。

知るもたのし、知らぬもたのし。
知るを知らぬも、またたのし。
知らぬを知るも、またまたたのし。

できることの少ない日は、少なくなにかをする。

「あたま」で考えに考えて、調べに調べて、
なにかがうまくいくってことも、あるにはある。
だけど、そういう場合にしたって、
たいていは、うまく説明できないけれど
「こころ」のほうが、先にわかっていたことを、
「あたま」が試し算するだけだったりする。

自分だけのために、自分が決めたことだけをやるのは、
なかなか困難なことなのだけれど、
誰かのためにもなることは、あんがいやれるものだ。

いいたいことが「10」あるなら、
それをとにかく「1」にしぼって伝える。

アイディアがほしいときにも、
悩みがあるときにも、悲しいときにも、
そういえば、ぼくは「寝ちゃう」ことで凌いできました。
すごいでしょう！
もちろん、ただ眠いときにも、ね。

「ないほうがいい」と、
その規則がなくなる日を祈るような気持ちで、
つくられる規則でなきゃ、ほんとはダメだ。

「自分たちはいいことしてる」と思っていると、
絶対にろくなことはありません。
「いいことをしてない人」に、強く働きかけようとしたり、
いいことをしているのだから、と、
図々しく声高になったりしやすくなります。

「断る理由をうまく言えなくても、断っていい」んです。
提案をする側が強引に、
「なぜ断るのですか。その理由を言ってください」と
相手を泣かせるくらいに詰め寄ったとしても、
「なぜだかわかりませんが、お断りします」と、
提案された側は、言ってもいいのです。
そうでなかったら、「うまく言えない気持ち」は、

なかったことにされちゃうからです。
ゲームのなかの取引だって、
プロポーズだって、Ｍ＆Ａだって、買い物だって、
「なんだか知らないけどイヤン」と、言っていい！
これはとても大事なことだと、ぼくは思うのです。
そうでないと、「肉体的な力ずく」ばかりでなく、
「言論的な力ずく」に、負けちゃうでしょう。

ともだちというのは、

「しょっちゅう会ってなくてもかまわない」

というところまで含めて、いうのだと思う。

「ともだち」の定義とはどういうものか、
とあらためて問われたら、
人によって、ずいぶんちがった答えになるでしょうね。
「ぼくは、すっごくいっぱいともだちがいてね」
と言う人の孤独だって、想像できます。
「わたしには、ともだちがいない」
と泣いている人のことを、大事な「ともだち」だ
と思っている人もいるかもしれない。

「疑う」というのは、ほんとうに大事なことだ。

疑いが問題というかたちになったら、
そこから答えへの道ができはじめる。
問題なしの答えというものはない。

小学校から大学にいたるまで、
学校の勉強が、ともすれば退屈に思われやすいのは、
問題と答えの両方を知っているものが、
先生という名で、すでにいるからだ。

政治家のことばが、どうしてもいやらしくなるのは、
疑いの指先が、絶対に、相手のほうにしか向いてないからだ。
ぼくが信じられるのは、自分に疑いの目を向けられる人だ。

対話していておもしろいのは、
たがいの共通の疑いが生まれて、
それについて共に考えはじめたときだ。

疑いつづけるという態度と、
好奇心を持ち続けるということは、
おそらくほとんど同じことだ。

ああ、ぼくら人間は、生まれてから死ぬまで、
ずっとにょろりとしたクエスチョンマークだ。
いま生まれたばかりの赤ん坊は、
「ほんとかよ?!」と叫んでいるような気がしない？

人間の一生というのは、もう、食わず嫌いの連続だよ。

あれが好きだのこれが好きだの、
言いますよ、たしかに。
言うけど、それは「好きのつもり」であるものが、
いっぱい混じっているんです。
「ほんとうに好きか？」とね、
底の底のところで問われたら、
「そうでもないかもしれない」って
気づかされちゃうことも多いんです。

「あとあとのために、とっておこう」というのはいい。
でも、その「あとあと」が、あんまり後になると、
おいしくもたのしくもなくなってしまう。
なんでも、さめないうちに食ったほうがいいんだ。

等身大のままできることを、
ちゃんとやっているうちに、
上昇するらせんのように進歩はするものさ。

いろいろ考えたすえに言ってるつもりなんだけど、
おれは、味覚的にも、造形的にも、
肉体に必要な栄養という意味でも、
思想的にも、
簡便さや経済的という理由でも、
コロッケというものが
いちばん好きなんじゃないかなぁ。
コロッケを食べるたびに、そう思うんだよな。
むろん、食べてつくづくおいしいなぁというものは、
他にもたくさんあるんだけれどね。

高いとか、簡単に手に入らないとか、
価値のヒエラルキーが露骨にあるとか、
見た目はよくないとか、
ひねりすぎだとか、
人間の手が加わってなさ過ぎるとか、
なんかしら残念なことがあるんだ。
でも、コロッケは、完全に近いんじゃないかな。
そりゃそれなりに当たり外れはあるけれど、
だいたいはオッケーだよ。
若者はさ、憧れるならコロッケに憧れるべきだね。

日本の思春期が、日本の受験期と重なるっていうことは、
「なにがなんだかわからなくなっちゃってる」人を
たっぷり増やしてるよなぁ。

そりゃあまりにも「へっぴり腰」だろう、
と思えるかもしれないけど、
本気の「へっぴり腰」は、あんがい強いんだよー。
やってみたら、わかるって。

ぼくは、なぜだかわからないけれど
「あいつを呼ぼうぜ」と言われる人がいいと思っている。
結果はわからないけれど、自分の子どもにも
そんなふうに育ってほしいと願ってきたし、
知り合いの若い人たちにも、
言う機会があれば、そう言ってきている。

スチャダラパーのアルバムに
『WILD FANCY ALLIANCE』というのがあって、
そのなかに『彼方からの手紙』という曲があるのだ。

この歌で描かれている「ああ、あいつも来てればなぁ」
ということば、これこそが、ぼくの憧れの価値なのだ。

「あいつ呼ぼうぜ」がいいのは、
そういう存在に、誰でもなれることだ。
そういうやつが、何人いてもかまわない。
それどころか、
「世界中の人間が『あいつ呼ぼうぜ』になりますように」
って、看板立てたくなっちゃうくらいのものだ。

「いっしょに悲しんでくれる友人よりも、
いっしょによろこんでくれる他人のほうがありがたい」
ということばを、聞いたことがあります。
そういえば、ぼくのまわりには、
「いっしょに悲しんでくれる」というような友人って、
いないような気がするんですよね。
「悲しくないような顔をしててくれる」ほうが、
ずっと多いような気がするし、それがありがたい。

いい友人というのは、
あなたとの関係でできているものなのだ。
あなたの親切が、友人の親切を呼び起こしたり、
あなたの知恵が、友人に記憶されたりね。

見えないものとか、
聞こえない声だとか、
あえて言ってないこととか、
うまく言えないままのこととか、
そういうことのほうが、
ずっと多いのだということを、
ぼくたちは忘れそうになる。

じぶんの「よくないところ」というのは、
じぶんの「いいところ」が存在するための、
理由だったりするんです。
どこかに、影や、ゆがみや、不足や、汚れがあるために、
それをごまかそうとしたり、忘れようとしたりして、
別のなにかが発達することがあります。
弱さが、別のどこかを強く鍛えてしまう。
それは、悲しいことでもあるのですが、
あんがい、そこに、人がよろこんでくれることがあるんですよね。

「かっこいい」ことのなかには、
微量の悲しさが含まれているような気がします。
逆に「ちょっとださい」ということのほうに、
調和的な、満ち足りた美しさがあるんじゃないか。

じぶんがつくった歌を、誰かが歌ってくれたり、
じぶんたちがつくった服を、誰かが着てくれたり、
じぶんが書いた文章を、誰かが読んでくれたり、
そういうことって、ほんとにうれしいことです。
じぶんのためだけに歌う歌もあるでしょうし、
じぶんが書きたいというだけで書く文章もありますが、
それはそれで、いいんです。
でもね、誰かに伝わるというのは、
ずいぶんうれしいものです。

誰かがよろこんでくれる、ということがなかったら、
なにがたのしいだろう。

大きな島をひとつ買い取って、
おたのしみの設備をたくさんしつらえて、
おいしい魚や肉や、野菜やくだものを用意して、
腕っこきの料理人を招き入れて、夕食の準備をする。
夕日はあくまでも大きく、
海はどこまでも蒼く、
風はあまりにもやさしい。
楽団がせいぞろいして、
あなたの好きな音楽が鳴り響く。
誰にじゃまをされることもなく、
あなたひとりが、王様としてそこにいる。
あなたひとりのために、すべての贅沢がある。

そう。
あなたひとりのために、すべてはある。
あなたは、おおいによろこぶことができる。
ただ、あなただけが、よろこびをあたえられる。
たのしむことを、あなたはひとりじめできる。
……ただ、そこにいて、
共にたのしむ人は、ひとりもいない。

誰かがよろこんでくれる、ということがなかったら、
すべてがそろっていても、なにがたのしいだろうか。
誰かがよろこんでくれる、ということがなかったら、
ほんとうにうれしいことなど、なにもない。

つくるときの「初心」も大事だけれど、
知ってもらいたいという「初心」も大事にしよう。

伸びたくて仕方のない青竹のような若い季節には、
歌など消えてしまっても、詠んだおのれが知られたい、
と、そういうような気持ちがあったりもする。
しかし、そういう季節を人並みに過ごして、
もうこれよりの背丈にもならないなとわかると、
歌そのものが伝わったり、
歌ってよろこばれたりすることのほうを、
うれしく思えるようになる。

これは自分の、こころからの発見だと思えることなんです。

「信号待ちをしているときに、
横やら前やら後ろやら、
さらには、横断歩道の向こう側やら、
待っているクルマの中やらに、
人がいるだろう。
その一人ひとりが、

みんなそれぞれなにか思っているんだよな」

恐ろしいことだとも思ったのです。
すばらしいことだとも思うのです。
バカにしちゃぁなんねぇぞ、
あきらめてもなんねぇぞ、
というようなことです。

世の中に「縛る人」がいないというわけにはいかない。
なにもかもがバラバラじゃ、収拾がつかない。
しかし、「縛りたがる人」は、いなくてもいい。
たいてい、「縛りたがる人」は自分まで縛っているので、
他人を縛るときにも、呵責がない。
「わたしだって、我慢しているんだ」と、縄をなう。

ぼくは、どうにも、パシリという制度が苦手だ。
パンを買ってきてもらいたい、という気持ちはわかる。
だったら、ちゃんと頼みなさい、と言いたい。
パシるほうの人も、頼み方が悪かったら断りなさい。
と、そんな率直なことを考えてしまう。
それは、先輩と後輩の間でも、そうするべきだと思う。

『そいつは敵じゃあない』

お菓子がなくなったら、いやだという気持ち。
歌がなくなったら、いやだなぁというこころ。
かわいいお洋服がなくなったら、いやよという思い。

まずいものより、おいしいものが好きな気持ち。
栄養もないのに、食べたいものがあるということ。
しょうがないなぁと思うのに、会いたくなるともだち。
くだらないとわかっているのに、捨てられないもの。

残念な時間。
後悔するような青春。

恨まれる行動。
生意気な季節。

なぜいるのか説明しにくい生きもの。
役に立たない道具。
美しからぬ景色。

ぐずぐずしているうちに終わる人生。
よろよろと老いぼれていく身体。
強くなればいいのになれないままのこころ。

しょうもない世界のほとんどの部分。
くだらないといえば、みんなくだらない人間たち。
やめるべきことがやめられない仲間たち。

←

なくそうとしてもなくそうとしても消えないもの。
そういうものに、敵と名をつけることはやめてくれ。
そういうものらは、敵と名付けるべきものではない。

それらは、ぼくとか、きみとか、
そういう名前で呼ばれるものであるはずだ。

ちからのかぎりに闘って……なぜ、まだちからがあるのか？
ちからのかぎり闘ったのは、うそじゃないのにな。

「気晴らし」ばかりにどっぷりつかっていると、
かえって不安になるものだけれど、
よーし、やるぞと思ってする「気晴らし」はいいものだ。

未知の世界に無知なオレが行く。

ぼくのなかにある
人並み以上に「にぶい」部分は、
ずいぶんじぶんを助けてくれたように思える。
もっと細かく考えるのが常識でしょう、とか、
そんなことにも気づいてなかったの、とか、
え、ほんとに知らなかったの、とか、
ひぇー怖くなかったのか、とか。
もうちょっと「するどい」考えを持っていたら、
できなかったろうなぁと思うことや、
もっといやな衝突をしていたかもしれないなんてことが、
いっぱいありそうなのだ。

どんどん高く上れるということと、
高くにも低くにも行けるということでは、
だんぜん、後者のほうが自由なわけです。

ハズレにも、いろいろあるんですよね。
ハズレが教えてくれること、ハズレで学んだこと、
ハズレが当たりの助走になること、いろいろある。
そうなるとね、くじびきって、とにかく、
いっぱい回数ひくことが大事なんじゃないかと、
そんなことを思ったんですよね。

いっぱいくじをひく機会を持っていることだとか、

いっぱいくじをひく勇気を持っていることとか、
これは、すごいことなんだよなぁ。
いっぱい当たりをひいているように見られてる人は、
ほんとは、いっぱいくじをひいてる人なのではないか、
と、そんなことを、あらためて思ったんです。

「勇気」が必要だと思われていることを、
じっさいにやっている人がいる。
そのほとんどが「勇気」よりは、
「経験」がさせてくれているのではないか。

よく「紙一重の差」っていうけれどね、
その「紙一重」というのが、差ってものなんだよねー。
「紙一重」で敗れる側というのは、
たいてい、ほとんどの場合「紙一重」で敗れるんだ。
「紙一重」で勝った側は、いつもその勝つ側にいる。
厳しいけれど、「紙一重」の差こそが、
いわば「めしのタネ」であり、
それを目指して誰もが努力や工夫をしているわけです。

こいつと一生つきあっていこう、と決めたこと、
こいつがなければ俺はない、とさえ言うようなこと、
そういうものとのつきあいのうちに、
「ずっと好きでいる」ことが無理だ
というような局面があるものなのだ。

それぞれの胸に刻まれたことが、
あとで「よかったな」と思えるようになるといいですね。

爪を切るのがめんどくさいと感じられるときは、
あんまりよくない。
めんどくさいとか、好きだ嫌いだとか言わずに、
爪なんか切るもんだぜ。
生きるというのは、爪を切ることまでセットなんだぞ。

たいへんに愛情に満ちた「どっちでもいい」ってのは、
あるよ！

あわてて何かして、よかったことなんて、
一度でもあったのか……ないですよ、ほんとにない！
あわてて考えたことを実行しなくて助かったなんてこと、
ありましたとも、あったあった、そんなことばかりです。

これでも、ぼくは、ずいぶんあわてなくなったんです。
いちばんあわてていた時期を１００としたら、
いまは、20くらいまでになったと思います。

どうして、そうなったかというと、
「あわてない」だけで、うまくいく……という経験を、
ずいぶんと繰りかえしたからです。

ほんとだよ。
「あわてるな」と大きく墨書して、
壁に飾っておきたいくらい、大事なことなんだよなぁ。

美しいものなんて、ない。
そう思っている人のところへ、
突然降ってくるんだ、空から。
そうさ、美しいものがね。

ありがとうを送りだす口もなかなかいいけれど、
ありがとうを受け取る耳だってとてもいいもんだぞ、おい。

寒いなぁと思いながら日々を過ごしていたら、
温かいものに自然と惹かれていくでしょう。
暑い暑いと暮らしていたら、
冷たいものに近づいていくでしょう。
それは、あれこれ考えてやることじゃなく、
考える前から、その態勢になっているということです。

無意識で、そっちに向かっていく。
その向かおうとする無意識のほうが、
意識的にあっちゃこっちに行こうとする力より、

ずっと強かったりするわけです。
だから無意識と闘いなさいということでもなく、
だから、無意識に従えばいいということでもなく、
意識と無意識の力関係について、
「まずは、そういうことだ」と知っておきたい。
「じぶんは、どうやらほっといたら、こうなる」
と、ひとつでも知っていたら、いいと思う。

「かわいい子には旅をさせろ」と言いますが、
「かわいいじぶんにも旅をさせろ」です。

誰でも、「じぶんがほんとにいいと思ってるものごと」
について語るときって、絶対にかっこいいです。

アイディアって、
生まれたときに小爆発が起こって、
実行されたときに爆発する。
そして、伝わるときに大爆発するんだ。

細かいやすりのひとこすりも、
大きな鉈のひと振りも、
同じ一工程なのだ。

こころから願えば、夢は叶うよっていうことと、
願いさえすれば何でもできるよってことは、
ぜんぜんちがうんだ。
夢がさ、本気で願える夢になったら、
それはほんとうに叶うことに近づいたってことだ。

夢を見るって、本気で願うって、むつかしいんだよ。
小さかろうが、しょうもなかろうが、
叶えてきたことのあるやつは、

夢を叶えるっていうおもしろさを、身で知ってるんだよ。
ある程度なにかできるということを、
最初の種にして、それに水をやってさ、
少しずつ育てていくんだよ。
その身体の感覚が、ものさしみたいに刻まれていると、
本気の夢を見る力がつくんじゃないかなぁ。

同じことを、「できる」と思ってる人と、
「できない」と思っている人とでは、
「できる」可能性がぜんぜんちがうと思うんです。
「できる」とわかってするようになってからが、
本職というものなのかもしれません。
「できる」と思っていたことが、やってもやっても
「できない」という場合もあるでしょう。
でも、それでも、
「できる」と思ってるから「できる」んですよね。
そうすると、「できない」ようにも見えて、
最後には「できる」、というようなことが、
とても楽しみになってきます。

いつか必ず「できる」と思いつつ、
なかなか「できない」なんてことが、おもしろくなる。
こうなってくると、「楽しむ」ようになります。
「できる」がわからないと、「楽しむ」はありません。

「楽しむ」が上手になると、
いつも「できる」ことばかりになります。
なぜなら、「できない」に決まってることは、
「できない」のだから、しなくなるからです。
奇跡を祈るんじゃなく、奇跡のようなことも
「できる」とわかっているんですよね。

ぼくは、人に何度か
「夢が小さくていいね」と言ったことがあります。
「夢が小さい」というのは、
よくないことみたいに思われそうですが、
「ほんとうに実現したい」という思いがあって、
「それに向かって少しでも進みたい」という意思があって、
「とはいえ、なかなかぐいぐい進めないんだよな」
という俯瞰した見方ができていると、
いい感じで夢が小さくなります。
世界的な作家だって、「妻にほめられたい」という
小さな夢がなによりの動機になっていたりするものです。

だいたいの「やれてないこと」というのは、
その人のなかでの優先順位の低いことばっかりなんだ。
歯を磨くことを、「どうでもいいや」と思ってる人は、
磨かないっていうだけのことだよ、きっと。

おもしろがってやることでも、すっごく真剣にやることでも、
「いつ、どんなふうにやめるか（飽きるか）？」を、
ちゃんと考えておくことが、とても重要です。
「わたしはあなたを愛します」から、
「ぼく、このごろニョッキに凝ってるんだ」に至るまで、
いやでも、逃げずに考えたほうがいいと思うんです。
いつまでも、同じ自分ではいませんし、
いつまでも、同じ環境でもありません。
どういう条件で、これをやめるんだろう？
どういうことがあったら、これに飽きるんだろう？
それを、わかっていたいと思うことは、
それを長続きさせるための方法を手に入れることです。

よく思うんですけれど、
「なにをしたらいいかわかってる」けれど、
なかなかそれを始められない、という問題は、
ほんとはもう解決しているみたいなものですよね。
運動不足で身体に影響がある人は、運動すればいいし、
虫歯が痛んで困る人は、歯医者さんに行けばいい。

もしかすると悩むことそのものが、
その人間にとって大切かもしれないという時期もあるだろ。
笑っちゃうけど、矛盾そのものを学ぶための課題もあるよ。

「やりたいこと」は、いくらでも思いつくだろうけれど、
「やれること」はとても少ない。
「やらねばならぬこと」を、どんどん背中にのせていったら、
なんにもやれなくなってしまう。
その人その人が、なんでも
「やれるようにやる」のがいいんだと思う。

「多忙は怠惰の隠れ蓑である」と、何回でもじぶんに言おう。

「いつか」と言って先に延ばしていることは、
「いつか」と言ったそのときにするべきかもしれない。

あなたがいま、
「おいしいものって、いっぱいある」と感じているなら、
あなたの運気だか好不調だかの波は、いいんです。

「脂肪も含めて、その人」だとも言えるよね。
「ゴミも含めて、人の生活」ですしね、
「いねむりしてる時間も含めて、一生」ですし、
「おならも含めて、恋人」だったりもするわけです。

じぶんの経験してきたことや、
じぶんをとりまいている環境って、
いいところについても、わるいところについても、
それなりになれているものだから、
いろんな対処の方法も知っているんですよね。

そう考えると、じぶんって、
なかなか時間をかけてつくられている「作品」です。
好きじゃないところも、けっこうあるでしょうし、
取り返しがつかないような欠点も、あるでしょうが、
「じぶん以外には引き受けられない」ものかもしれない。
とにかく、「このじぶん」とつきあうしかない。

それはあきらめではなく、自己愛というのでもなく、
他の選択肢なんか、ないからだ。
気に入らないところがあるようだったら、
修理したり、改良したり、削ったり増やしたり、
変えていきながら、つきあっていくしかない。

ここまで長いことつきあってきた「じぶん」は、
誰にも渡せないし、誰のものでもないよ。
今日も明日も、ぶかっこうな「作品」として、
さらに取りかえられないものになっていく。

カメラマンだったら、人の写真が気になるだろうし、
自分がハンサムだったら、
たぶん、よそのハンサムが目に付くんじゃないかな。
そう考えるとね、得意だということは、
同時に「欠落」を感じやすいということなのではないか。
得意とか専門とかって、不得意と同じことなんだよなぁ。
なんの得意もないというのは、ひょっとしたら、
ものすごく幸福で、無敵なんじゃないか。

まだ20歳くらいのとき、仕事でおつかいを頼まれて、
デパートの女性下着売り場に
ブラジャーを買いに行ったことがあるのですが、
そのとき、そのおつかいをしなければ、
ぼくの知っているブラジャーの知識は、
いまの半分もなかったことでありましょう。

中学生のころに、ケント紙やら、墨汁、かぶらペン、
なんてものを買いましたし、
石森章太郎先生の『マンガ家入門』もよく読みました。
大学に入ったら、ひたすらマンガを描きつづけるんだと、
決意だけはしていました。
いちおう、ペン入れまでしたマンガも、
2作はあったんです。

いや、おもしろくないものだったです、どっちも。
作るために作ったストーリーと、へたで味もない画。
もし、いまのじぶんが批評を求められたら、
「マンガ家になりたいという気持ちのなかに、
ほんとはなにがしたいかが隠れてるから、
そっちを真剣に探してごらん」って言うでしょうね。
とにかく、結果、いまのじぶんになったわけです。

『スゴイ人よ、スゴクナイ人よ』

スゴイ人よ。
つまりは、あなたよ。

スゴイ人は、
やがてスゴクナイ人が、
すぐうしろにいることを知る。

スゴイ人は、
つまり、あなたは、

やがてスゴクナイ人が

すぐ、あなたを抜きさることを知る。
永遠に、
ありえないと思っていたことが、
ある。
それを、知ることになる。
その日は、いつでも、すぐにくる。

スゴクナイ人よ。
つまりは、あなたよ。

スゴイ人は、
あなたのずっと前にいる。
スゴクナイ人、つまりあなたの目は、

←

その背中を見ている。

やがてスゴクナイ人は、
スゴイ人を抜いてしまったことを知る。
スゴイ人は、たぶんあなたの背中を見る。

スゴクナイ人は、
つまり、あなたは、
スゴイ人になってはならない。
スゴクナイ人のままで、行くがいい。

ほんとうにスゴイ人は、
たいていは、あなたのように、
スゴクナイ人でいられる人だ。

←

一冊しか本を持ってなかったら、
さぞかしいい勉強をするだろうねぇ、おれらも。

ああ、ほめあって生きていきたい。
これは、ぼくの最大の夢だ。

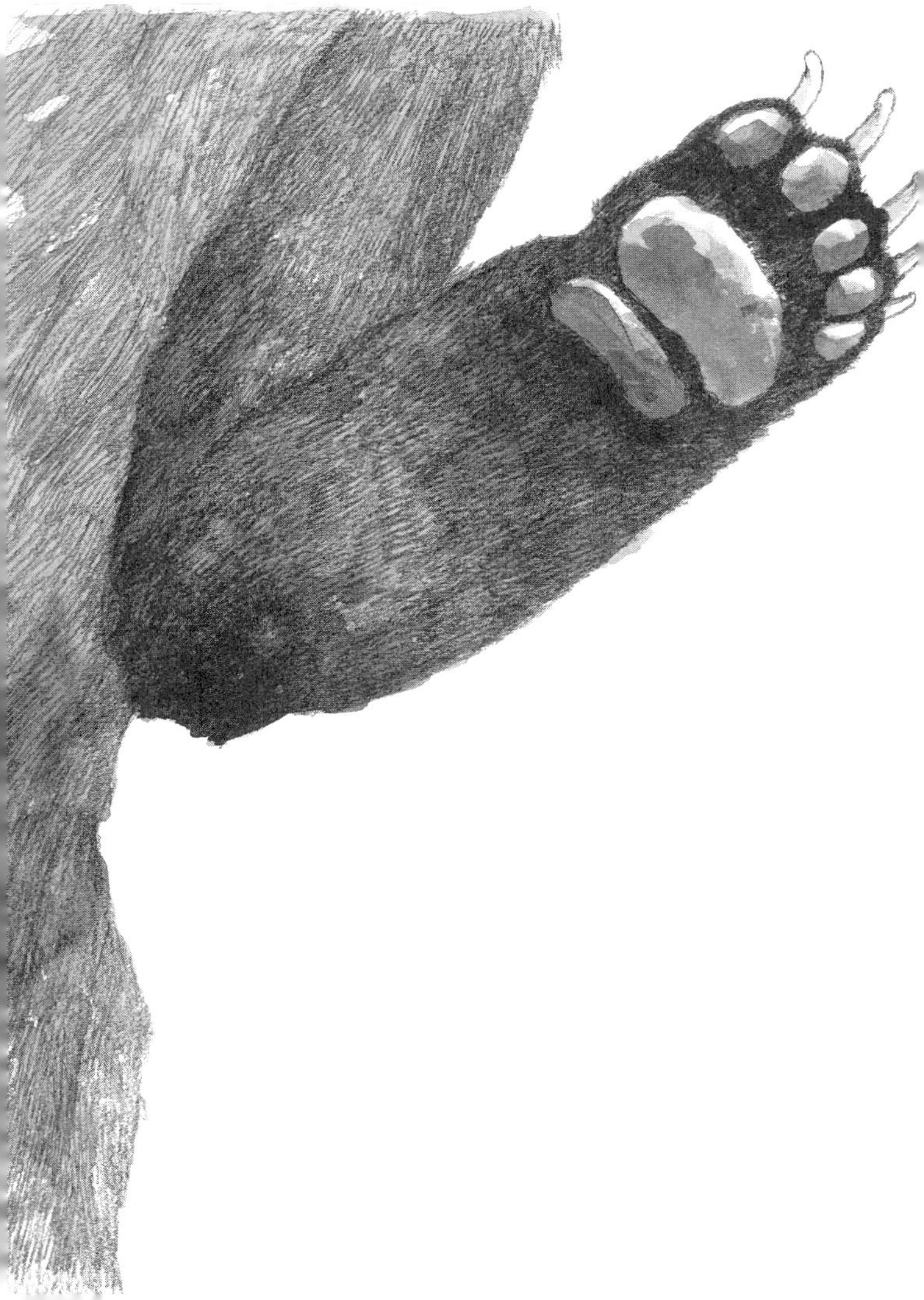

娘が高校生くらいのときに、ぼくのクルマで
渋谷に送っていってやったことがありました。
ドアを開けて、クルマから出た娘が、
駅前の雑踏のなかにひゅーんっと消えていくのを見てさ、
釣った魚を川に放すときみたいだと思いましたね。
街と若い人の関係というのは、そういうものです。

遠くで生活していたはずの若い人が、
故郷の実家にいて、
ぶらぶらしているという時期は、
本人も意識できてないかもしれないけれど、
なにかの挫折感を感じているとか、
後悔することがあったとか、無念とかね、
心に傷のある状態だったりするものなんです。
そういう夏が、ぼくにもありまして、
たまたま吉本隆明さんの
『最後の親鸞』という本に出合って、
水道の蛇口からごくごく飲む水のように、
読んだっけなぁ。

学校にいるときには、同じような年齢の人と過ごすよね。
でもさ、社会に出たら、
あらゆる年齢の人たちが、混じり合って、
いっしょに仕事をしていくことになるんだよ。

年齢も、境遇も、同じでない者どうしが、
「同じでないということを知って」いながら、
同じ目的をもって生きていくなんて、

学生のときには思いもよらなかったことだよなぁ。

年齢いろいろ×境遇いろいろ＝ものすごくいろいろ

この「いろいろ」の多様性を、
マイナスに考えるんじゃなくて、
だからすばらしいことができる、と思うのが、
社会ではたらいていくということなんだよなぁ。

なにかを一生の仕事にしていくと決意したら、
自分を、そのなにかの「中毒」になるように
仕向けていくんです。

ぼくの本来の性質は「なまけもの」なんですが、
毎日、実は、仕事がおもしろいんだよなぁ。

1 前提は、なまけものである。
2 しかし、なまけていては生きていけない。
3 なまけものでもやりたくなるような仕事を考える。
4 なまけものでも、やりたい仕事だから、やっちゃう。

……そういうことなのかなぁ、と思うんです。

「おもしろい」ということと
「食えてる」ということが両立してることが、
さらに希望のある「おもしろい」につながるんだよ。

はじめてバイトしたときのお金は、うれしかったなぁ。
大人になってからも、
給料をもらったり、ギャラをもらったりしたとき、
言うに言われぬ、身体に響くようなうれしさがあります。
汚いとか純粋でないというふうに
思いたがる人もいるのですけれど、
人間の一生のなかで「商い」というやつは、
案外、おもしろうて哀しい「遊び」なのではないか。

「人（＝じぶん）がうれしいことって、どういうことか」

とにかくこればっかりを、しつこく考えることです。

逆の言い方でもいいんですよ、

「じぶん（＝人）がうれしいことって、どういうことか」

たぶん、これがぼくらの最大で、唯一の仕事です。

就職活動中の大学生たちは、
あらゆる企業のことを、
知っているはずがないと思うんですよ。
いやいや、本人たちからしたら「失礼な！」と
思うかもしれませんが、逆にですね、
企業で仕事している人たちからしたら、
「うちの会社のことを、学生が知ってるはずがない」と、
当然のように思っているんじゃないですか。

コピーライターの世界には、
昔から「キャッチフレーズを100本書け」
というような練習法が、あるらしいのです。
ぼくも、そうしないといけないかなぁと
若いころには、思ったこともありました。
そしてはじめてみて、すぐにやめました。

キャッチフレーズを100本も書くというのは、
順列組み合わせみたいなものを機械的に記して、
数をそろえるということになりがちです。
これ、ある意味では頭を使わないということです。
数だけはそろいますし、やっていて楽しくないですから、
いかにも努力して達成したという気持ちになります。

が、新しい発想やら、
他にはないアイディアを生み出すには、
こういう方法はよくないと思うのです。
本気で考えるということと、
とにかく数を出すということは、あきらかに逆です。
いわば、アイディアの粗製乱造になります
（こころに思ってなくても、ことばは書けるんでね）。

キャッチフレーズを１００本書く時間があるなら、
なにも書かないで、とにかく「それ」について、
いつまでも考えることをやめない。
そして、できるなら、その考えを順番に書きとめておく。
そっちのほうが、ずっといい練習になると思います。
いつか、ひとつでも自信のある表現が生まれたら、

←

そのキャッチフレーズが、ほんとにいいのかどうかを、
毎日毎日、忘れるくらいまで憶えていて、また考える。
いわば、「試し算」をするんです。

「発想の千本ノック」みたいなことは、
考えずに書けるようになるにはいい練習かもしれない。
でも、考えたり思ったりと関係ないことばは、
ほんとうのことばじゃないわけですから、
書けないままのほうが、よっぽどいいわけです。

あんまり技巧的だったりするものは、
ほんとうには、よろこばれないものです。
それは、恋愛などについても、だと思われ。

社会に出ると、
答えにたどり着くのが上手な先輩とか、
答えを引き出すことが得意な上司だとか、
人を答えのほうに歩ませていくリーダーとか、
いろんな頼りにできる仲間はいるけれど、
間違いない答えを先に知っている人は、
いない場合がほとんどである。
誰にも答えがわかってない問題を、
なんとかするのが、社会での仕事だ。
さらに言えば、問題そのものを発見することが、
答えを導き出す以上に、大事な仕事なのだ。

学校で、生徒も先生もいっしょになってさ、
「わからない」の時間を、やらないかなぁ。
条件は、ひとつ、
「先生もほんとにわからないこと」をテーマにして、
しつこく授業を続けていく。
小学校は小学校なりに、中学は中学なりに、
高校は高校なりに、「わからない」の授業って、
できると思うんだよなぁ。

「わからないですね」って、しっかり言える人って、ぼくはやっぱりかっこいいと思うんですね。

吉本隆明さんの口からも、よく、「わからないですね」ということばを聞きます。一昨日、原丈人さんにお会いしたときにも、すっと答えそうな質問に、「わからないですね」ということばが返ってきました。このおかげで、別のさまざまな答えに、逆に真実味が増したという気がします。ぼく自身のことを思い出してみますと、

この「わからないですね」を、
ちゃんと言えるようになってから、
まだ10年くらいのような気がしています。
じぶんのことだから、かっこいいとは言えないけれど、
言えるようになってよかったじゃないか、
という気持ちはあります。

「わからないですね」が言えるようになると、
ものすごくいいです。
なにがどういいのか、うまく言えないのですが、
とにかく息がらくになると思います。

暑いと感じていれば、温度計が何度を示していようが
「暑い」でいいはずですよね。
自分のボディ感覚よりも、
温度計や時計が示す観念的な数字のほうを信じて、
自分を管理しているつもりになってる。
日の出と日の入り、自分の背丈とか歩幅などという
変わりようのないものを基準にして
人が生きていた時代があったはずなのにね。

知らずにうそをついている場合があるので、
気をつけよう。
（形式や、常識、先例は、うその宝庫である）

自分という器をいくら逆さにして振っても、
出てくるのは綿ぼこりくらいのものさ。

吸ったり吐いたりのしくみが
動いてないことのほうが、
中身が空っぽであることなんかより、
ずっとおそろしいことなんだよ。

自分という器が大きいだの小さいだの、
自分には才能があるだのないだの。
どっちにしても、そういう発想をしているかぎり、
必ず、いつか空っぽになるものだ。

問題は、吐くこと。
吐けないと思ってから、さらに吐く。
吐いて、吐いて吐き出しつくすと、
しょうがなく吸うことになる。
ここで、吸えということだ。

表現をするんだ。
そしたら、いったん空になる。
空になったら死んじゃうから、
吸収するだろう？
その分だけ吸ったら、もうじゅうぶんだ。

歴史に残るような名画だってさ、
ここんとこダメなんだよなぁって部分が、
たいていはあるもんだよな。
「そこばっかりじっと見たら困ります」って部分がさ。
でもさ、そこんとこが
逆にいちばん
気持ちのわかる部分だったりもするんだよな。

すっごい英雄がいないという時代をなげくのは、ちがってる。
英雄がいなくてもなんとかなってるのは、
数多いふつうの人間たちが、よくやってるからだ。
坂本龍馬を待ってるより、
明日のじぶんにちょびっと期待するほうがいいんじゃないか。

なにかが「できちゃう」ということは、
かならずしもいいこととはかぎりません。

たとえば、お化粧がじょうずに「できちゃう」人は、
いつ素顔を見せればいいのでしょう。
このつぎには、素顔を見せようと思っているうちに時は過ぎ、
年老いていく素顔は、誰にも見られないままになります。
文章を書くことが「できちゃう」なんてことも同じで、
なんにも思ったり感じたりしなくても、
それらしい文章は書けるものです。
どういうふうに体裁を整えるか、であるとか、
どう書けば評価されるかだとか、
どうすれば隠し事が隠しおおせるかなんてことが、

どんどんじょうずになっていくと、
いつまでも、書けない理由に出合えなくなります。

「できちゃう」ことは、とても役には立つのでしょうが、
そのおかげで、なにかの発達が止まってしまう場合もあります。
「できちゃう」ことを捨てたり、
「できちゃう」ことの外側に出たりすることは、
どんな秘境への旅よりも、大冒険です。
「できない」と格闘し続けるためにも、
「できちゃう」を封印することが大事です。
「できちゃう」がないと生きていくのが困難だし、
「できない」に出合えないと、生き続けられない。
にゃかにゃか、ややこしくもおもしろいものです。

世の中には、「難問好き」という人たちがいる。

「難問好き」たちは、なにげなく「難問」にすり寄る。
もしかしたら笑顔で、「難問」を抱き寄せる。
解いて見せると宣言するでもなく、
解かなければ誇りを失うと緊張するのでもなく、
「難問好き」たちは、「難問」を見つめ、
「難問」を撫で、「難問」を抱きしめるのだ。

解けなかったら、膨大な時間と労力がムダになる。
しかし、「難問好き」はそんなことを想像もしない。
だって彼らは、「難問」が好きなのだから。
そして、これまでも、いつも、

「難問」はいつのまにか解けていたのだ。

「難問好き」たちは、「難問」から逃げない。
「難問」が好きなのだから逃げる必要もないし、
逃げるなんて、もったいないのだ。
「難問」は魅力的で、
「難問」は、めずらしいかたちをしていて、
「難問」は、ピカピカ光っているものらしい。

ふつうの人は「難問」と格闘しようとするが、
「難問好き」は好きな「難問」とつきあおうとする。
うれしそうに、「難問」を愛してつきあう。
そのうち「難問」のほうから、自然と解けていく。

←

←

そうやって、彼らはたくさんの「難問」を、
経験してきたのだ。

さらに、ついでのように言うことではないのだが、
（それはとても大事なことだから）
すごい「難問好き」は、
「難問」以外の、ふつうの「問題」もけっこう好きで、
ひまさえあれば、つきあっている。

「はじめてのおつかい」における、
おにいちゃんのようでいたいものだ。
もうちょっとつついたら、
目からざぁっと涙が流れ出そうなのに、
妹が泣いているから、ぐっとこらえてるんだ。
ふたりとも泣いていちゃ、どうにもならないからね。

「実力不足」だった、と、あるアスリートが言っていました。
必要以上に自己卑下しているわけでもなく、
考えることを放棄している感じでもなく、
とても正面からのことばとして
「実力不足」ということが語られた気がします。

まったく参加することもできないような競争で、
「実力不足」なんてことは言えません。
「あわよくば好成績も」と欲がでてしまうくらいの強さ、
というか、弱さが認識できたときに、
やっと言えるようになるんだろうと思うのです。
今回、これを言えた選手は、
ようやく「実力不足」と言える地点に到達したんですね。
つまり、「実力不足でした」なんて言えるほどの実力は、なかなかつくもんじゃないんですね。

他人のことはわからないですが、
ぼくがいちばん長くやっていたコピーライターという仕事で、
「実力不足だなぁ」と感じたのは、
おそらく中年になってからだったと思います。
大きな「無力感」といっしょに感じたものでした。
でもね、「実力不足」を感じてから後のほうが、
あらゆることがおもしろくなったのも確かです。

ぼくより若い人たちに、こころをこめて
おせっかいなことを言ってあげましょう。
「キミもいつか実力不足になれるといいね」ってね。
で、ついでに、ぼくはいまも「実力不足」のままです。

年下のともだちにメールの返事を書いていて、
最後に、ほとんど無意識に「ねばれ！」と書きました。
「ねばれ！」しかないんですよね、たいていのことは。
天からの啓示も、ありがたい偶然も、
ねばっている人のところにやってくるわけで、
おそらくそれは「考えつづけている」というのと、
同じことなんじゃないかなぁ。

打席に立ちつづけていて、退かない。

答えが出るまで、終わりにしないという態度が、
「ねばる」じゃないかと思うんです。
ずいぶんと芋臭い、「ひらめき」のない方法ですが、
実は「ひらめき」というものも、
打席に立っているからこそ、のものなんです。
運を頼むのはオッケーなんですが、
頼みつづけてないと運に当たらない。
頼みつづけることを「ねばる」わけ。

おれも、ねばるよ。おまえも、ねばれ。

『アリとキリギリス』の寓話でいえば、
アリだって、もっと歌えばいいと思うわけです。
キリギリスだって、楽器を弾くには練習をしてたはず。
「たのしみながら」なんでもやりたい。

とにかく、なんでもなんですよ。
なんでも毎日やってるものは、すごいんです。
途中で、「毎日」が続かなくなったら、
休んだことをいったん忘れて、
また「毎日」をスタートさせればいいんです。
止まっちゃったと気がついたら、
そこがリスタートです。
そんないい加減さでやってたら、
「毎日」ができるようになっちゃうんです。

ものごとは、新月のときにはじめるといいらしい。
種まきだからだって。
ジル・サンクロワさんから聞いたんだ。

誰かに「ちゃんとめしは食ってるかい」と言われたら、
もしかすると、どんな助言よりも心に届くかもしれない。

あなたは、何歳でしょう。
もう青春は終わってますか。
それとも現在進行中ですか。
青春は、何歳のこころのなかにも、
ちょっとありますよね。

誕生日も、結婚記念日も、忘れてかまわない。
ほんとうです。ほんとうに、ほんとうです。

両思いのときだって、これは、ほんとうは、
両側からの片思いであるとも言えるわけで、
あらゆる他者との関係は、片思いですよ、ねぇ。
しかも、片思いしている時間というのは、
あんまり悪い気持ちでもないような。

「あなたが好き」を最優先にしていたら、
「あなた」のあとをくっついて生きていくことになるよ。
目を離さず、あなたのことだけ思って、追いかける。
1時間くらいのドラマなら、そんな設定も成り立つけど、
そんなやつのことを、その「あなた」はどうすりゃいい？

好きな人に会うのに、いちいち理由なんか考えないでしょ。
まぁ、少々恥ずかしい気持ちがあるから、
「ちょっと聞きたいことがあってさ」なんて、
どうでもいいとっかかりはつけたりするけれど、
ほんとは、「会いたいというだけ」という場合が多いでしょう。

人でも、犬でも猫でも、とかげでも、小鳥でも、
「後ろ姿」をいいなぁと思えたら、
それは好きだっていうことだと思います。

「後ろ姿」を見ている視線というのは、
相手からの返事を要求しないものであります。
好きだから、そういう視線を送っているのです。

それは、もしかしたら、
ものすごく幸せな「片思い」のかたちかもしれません。
でも、たがいを前にして、
やりとりして思いを深めていく「思い」よりも、
深さはないけれど、どこまでも続く海岸線のような、
広々とした「片思い」って、すばらしくないですか。

とても清々しく助言をするならば、
「ふられたらよろしいではないか」である。
だいたいは、ふられるものなのだ。
「だめかもしれない」だの
「どうしたらいいいんだろう」なんて思ったときには、
もうだめだ。
そのくらいに思っていたほうがいい。
死ぬわけじゃないし、別の日には、別の人に会うのだ。
それくらいに思っていないと、うまくいかない。

世の中にはね、
男と女とコロッケしかいないんだから、
仲良くしなきゃだめだよ。

好きな人に　あえる場所は
好きな人の　好きな場所さ

自分の好きな人が、静かに本を読むことが好きなら、
図書館に行けばあえるんじゃないか。
好きになった人が、スケートが好きなら、
スケートリンクに行けばあえると思う。
海を眺めるのが好きな人を好きになったなら、

海に行ってみれば、きっとあえる。
サッカー好きの青年を好きになったら、
サッカーの練習場か競技場に行けばいるだろう。
好きな人に　あえる場所は
好きな人の　好きな場所さ

名詞を、好きなように並べていくだけで、
歌はできちゃいます。
形容詞やら副詞やらを、ひとつも使わなくても、
ほんとうにじぶんのこころから出てきた名詞を、
いちばんいい順番で並べようと思ったら、
それだけでオッケーです。
クラスメイトの名前を、並べていくだけでもいい。
ないしょで、嫌いな人から好きな人への順とかでもね。

ただし、その人の顔をちゃんと思い浮かべながら並べる。
これを、ゆっくり読むだけで詩になると思うんです。
それにでたらめなメロディがつけば、ちゃんと歌です。
いかにもありそうな、いかにもよさそうな詩よりも、
その人にしか選べないことばを、
その人だけの順に並べるってことは、
じょうずへたを超えて素敵なことだと思うのです。

だれにもわかることばで、たいていのことはできる。

プラモデルのようにではなく、粘土細工のように。

自分が、（すべて心ならずも、と考えてもいい）
ウソをついたこと、
裏切ったこと、
卑怯なふるまいをしたこと、
約束をやぶったこと、
問題に立ち向かえなくて逃げたこと、
見栄を張って飾ったこと、
ずるいルールやぶりをしたこと、

弱いものいじめをしたこと、
強いものにへつらったこと、
わかりもしないことを知ったかぶりしたこと、
こっそり他人の足をひっぱったこと、
人に暴力をふるったこと
……などなどなどなどを、
自分が、
やった、
ということを忘れないほうがいい。

健康な日々を過ごしているときには、
ことさらに健康のことなど考えてないでしょう。
「おまえ、健康？」なんて訊かれても、
「え。どういうのが健康なの？」と、
訊き返してしまうくらいの感じなんじゃないかなぁ。
「わたしは、幸せだろうか？」とか、
問いかけているときには、
なんかしら幸福を疑うような
欠けを感じているんでしょうね。

「なんでもない日」というのは、不思議です。
毎日がそうなんだよ、とも言えますし、
そんな日はなかなかないよねぇとも言えそうです。
毎日誰かが生まれ、毎日誰かと別れている。
そういうことも含めて「なんでもない日」なのでしょう。
祈るということはできるので、祈ろうと思います。

そんなこと、もういいかげん忘れろよ、
というようなことが忘れられません。
いいことも、わるいことも、どうでもいいことも、
いつまでも憶えているんですよね。

どちらかといえば、ぼくは、
「昔はよかった」と言いたがる人ではありません。
それでも、昔のことをこんなによく憶えているのは、
なんだか不思議な気持ちになります。

思い出というのは、「その人の材料」なのかな。
ぼくは、いまも忘れられない無数の思い出で、
つくられた人間なのかもしれない。
そんなふうにも、思えるのです。

ひさしぶりに夢に出てきた小学生時代の友だちとか、
いまになっても言えない恥ずかしいことだとか、
妙にうまかった食いもののことだとか、
あの道や、池や、川や、誰かの怒った顔。

頭で憶えた歴史の年号も、数学の公式も、漢字も、
小説のあらすじも、自分の過去の電話番号も、
いや、いまの住所さえも……ぜんぶ忘れたとしても、
実際に経験したことは忘れない。

あんまり幸せにしてやれなかった犬のことだとか、
粗末につきあった人のことかも、
たくさんの楽しかった思い出に混じって、

←

忘れられないままに、死ぬまで持ち越すわけです。
ぼくだけでも、あなただけでもなく、
人間は、みんな、そういうものなんだと思うわけで。
そう思えるから、思い出すことを怖がりすぎなくて、
なんとかやっていけるんです。
「人生は、別れと出会いの連続だ」といいますけれど、
「人生は、ごめんとありがとうの物語」でもあります。

←

桜の花が咲かない年って、まだ知らないな。
俗物的で、なにしろ盛大で、
馬鹿馬鹿しい花だと思っていても、
毎年、ちゃんとやって来てくれるんだから、
なかなか律義で礼儀のあるやつだよ。

ぼくは、どうやら、
平気で死んだ人の悪いことを思い出します。
死んでも、ぜんぜん水に流したりはしないんです。
ここらへんが、ぼくの、じぶんにも不可解な頑なさです。
でも、ぼくも、死んでからでも、
生きてるときのままの言われ方がいいと思ってるんです。
それはそれで、敬することと愛することとできるもの。

昨日は、
25歳という人と話をしていました。
でも、途中でわかったのですが、
ぼくは、ほんとは相手の年齢はどうでもいいみたいです。
すごい年上の人でも、たとえ未成年でも、
結局、やりとりしているボールは同じなんだもんなぁ。

横尾忠則さんのところにおじゃまして、

「とても大事なような、まったく無用なような」

いろいろの話をしてきました。

南伸坊さんと会うときには、
「大事とは言えない、まったく無用なような」ことを、
大切に話すというような気がします。

どっちも、たぶん社会的には無用と思われることが、
ほとんどではないかと思うんですよね。

ぼくのからだも、ぼくの歴史も、ぼくのこころも、
全体のうちの99%は、無用のものからできてます。
だからといってばかにしないでください。
1と99は、やっとですが釣り合いをとってるんですから。

すごい作家というのは、
「あんまりいいとはいえない作品」を、
ちょうどいい具合につくってるような気がするんです。
大傑作や、ヒット作というものばかりでなく、
好きな人には好かれるけれど評価されない作品や、
問題作と言われつつ人々の口の端に上らない作品や、
なんであんなのつくったかねぇと噂される作品が、
ちゃんと、なんとなく混ざってるんですよね。
「はずれ」もつくれる。
これは、まだうまく説明できないんだけれど、
大事なことのような気がしてます。

観賞とは、作家の時間と事件の追体験である。

『凹型』

凹のことを考えるんだ。
でっぱってるほうが凸で、いわばポジ（陽画）だ。
ひっこんでるほうが凹で、つまりネガ（陰画）。

なにかを考えたり、思ったりするときには、
考える本人っていうかさ、
主人公が自分だもんだから、
どうしても凸型の考え方をしちゃうものなんだよね。

だけど、凸があるっていうことは、
その凸を存在させている巨大な凹がある……。

仮に、部屋のなかにリンゴがある。
そのリンゴを凸だとすれば、
リンゴのかたち、リンゴの大きさに凹んだ部屋が、
リンゴにぴったりついて存在しているわけだ。

世界のなかに、ぼくがいる。
ということは、世界はぼくのかたちの凹型をしている。
ぼくが動くたびに、凹型の世界も動く。
そんなふうに、ぼくらは生きている。

きみと、世界の関係もそういうふうになっている。
きみは、きみのかたちを除いた凹型の世界に暮らしている。

←

あるとき、急にきみがいなくなったりすると、
きみのいた凹型の世界は、きみのかたちの穴が開く。
その穴にもし「いのち」というものを注入できたなら、
きっと、もうひとりのきみが生まれるだろう。

凹型の世界のほうは、きみがいなくなったとしても、
きみのいた空間をなかなか埋めようとしない。
きみがまだその空間を占めているかのように、
世界はふるまいつづけることになる。

きみから見た凹型の世界の、
みんながきみのいた空間をそのままにしておいてくれたら、
きみは、いつまでも生きつづけることになってしまう。

←

ふつうは、きみのいた空間は、
だんだんと他の用途に使われたりしていくし、
そんな穴は埋めないと危ないよ、などということで、
じょじょに世界は、きみがいないかたちになっていく。

でも、凹型の世界のほうが、
いつまでもきみをいさせようとするなら、
きみという凸型の存在は消えてしまっても、
いつまでもきみは残ることになる。

きみは死んでも、みんなのこころにあるきみの思い出は
いつまでものこるかもしれない。
凹型の世界のことを考えると、
永遠ってあるのかもしれないと、思えてくるよね。

『ありふれたことばで。』

講演のときの「たとえ話」には、
よくコップと水差しがでてくる。
それは、講演する人の目の前に、
コップと水差しがあるからに他ならず、
しかもそのコップと水差しが、
会場の聴衆にもよく見えるものだからだ。
それで、よいのだった。
それ以上のことは、いらない。

美しいものを言うのに、
咲く花のことを持ち出すのは、

あまりにもよくあるし、
聞く相手によっては
おざなりだと思われてしまうかもしれない。
でも、美しいと感じていることがほんとうで、
花のことを美しいと思っているのなら、
それで、よいのだった。
それ以上は、いつかまたあるならあればいい。

平凡なことばの数々。
ありふれた言い回しの山。
いかにもあたりまえな言い方。
名付けようのないもののために、
ちょっと借りてくることばの物置。
そうというものを手にとって、

←

おかしなものだなと笑いながらでも、
いじってしゃぶって吐きだせばいい。

生まれてから、今日までに、
おれは、おまえは、
どれだけのことばを借りてきたことか。
借りては返さず、生み出すこともできず。
コップと水差しと、花と陽射しのことを、
なんども何回も語ってきた。
それで、よいのだった。
それ以上のことは、できやしない。

好きな女を好きな気持ちは、
女の名を呼んでみるだけでいい。

こころからいやなことには、
ただただいやだと叫べばいい。
あとは、ちょっと借りたことばと、
思いつかないことばを持って、
ばかのまんまで笑っていればいい。

『たのしそうにしていること』

たのしそうにしているのは、
とてもいいことだ。
こころから、そう思うのだけれど、
たのしそうにしていることは、
あんまり簡単じゃぁない。

たのしそうにしていちゃぁいけない時が、
なんだかずいぶん、しょっちゅうあるからだ。

あっちがでっぱった、
こっちがひっこんだ、

ひっぱたいたの、ひっかいたの、
死んだの殺されたの、
だまされたのうらんだの、
火をつけられたの、盗まれたの、
運がわるいの、蚊にさされたの、
うらやましいやら、くやしいやら、
損しちゃったやら、うそつかれたやら、
すべったころんだ、
歯がいたいけつがいたい頭がわるい、
おばけがきたよ、いくさがあるよ、
だませなかったよ、盗めなかったよ、
偉ぶれなかったよ、もてなかったよ、
ひまでたいくつ、いそがしくて息がつまる、
あなた美人ね、あの人お金持ちね、

←

ああけしからんけしからん、
あいつは何様だ、おれは俺様だ、
ふざけやがって、冗談じゃないぞ、
うんこがでない、げりがとまらない、
はらがへったぞ、はらがきつい、
なんだかとにかく金返せ、ののしらせろ、
ああおれは情けない、じぶんに怒りが、
目覚ましを止めてくれ、6時に起こしてくれ。

たのしそうにしているのは、
とてもいいことだ。
こころから、そう思うのだけれど、
たのしそうにしていることは、
なかなかゆるしてもらえない。

←

だけど、そんなことしったこっちゃなく、
たのしそうにしているものに、
ぼくはあこがれる。
たのしそうにしているものが、
ほんとうはみんな、大好きなんだ。

『立つな目くじら』

座れ　目くじら
座ってくれ　目くじら

たれか　目くじらに座るように言ってくれ
人がこんなに犇《ひし》めきあってる
ビラや予告編が散らばっている
風強く埃まう界隈であちこちあちこちに
ぬーっとぼさーっと　にぶにぶしげに
目くじらが立っているもんだから
前が見えなくなって迷惑してるんだ

座れ　目くじら

座ってくれ　目くじら

目くじらは　目くじらの海に戻って
好きなだけ　立ったり泳いだりするがいい
にんげんの前に立ちはだかって
にんげんの目の前を　暗くするのだけは
かんべんしてください

(俺は目くじらを燃料にして飛ぶロケットを
発明しようと考えて挫折したままの青年だ)
イージーカム　イージーゴー

座れ　目くじら
頬を赤らめることをしてくれ
そしてそのまま溶けてくれ

『で、きみは？』

で　きみは　どうしたいの
で　きみは　なにしてるの
で　きみは　どうおもうの
で　きみは　どこへいくの
あのひとは　まちがってる
あのひとは　ばかだ
あのひとは　しんじられない
あのひとは　うそつき

で　きみは　どうしてるの
で　きみは　なにみてるの
で　きみは　どうはなすの
で　きみは　どこでいきる
あのひとは　よごれている
あのひとは　あくだ
あのひとは　ひきょうものだ
あのひとは　ふゆかい
ららら　ららららら　そのまま　ららら
ららら　ららららら　どこまで　ららら

阿波踊りでは、
「踊る阿呆に、見る阿呆」というらしいけど、
そこでは「踊る阿呆」になる人が、
たっぷりといるみたいで、ずっと阿波踊りは続いてます。

歴史的に、人間という生きものには、
そういう特徴があるのかもしれませんが、
「踊る阿呆」よりも、「見る阿呆」のほうが、
ずっと数は多いようです。
そして、見ている側には、
阿呆と言われるような理由もないので、
「見る利口」のようになっていきます。
そう、つまり「踊る阿呆に、見る利口」です。
なにか言い出して「笑われる阿呆」よりも、

言い出した誰かのことを「つっこむ利口」のほうが、
何百倍もたくさんいるような気がします。

「つっこみ芸」というのは、たしかにあります。
そして、それはなかなかたいしたものです。
ただ、それと、ひっきりなしの「あげあしとり」や、
「後だしじゃんけん」「重箱の隅つつき」は、
ちょっとちがうと思うんですよね。
おそらく、相手への「愛情」だとか、
共に芸をつくろうとする協働の意思のある無しかなぁ。
ま、そのへんは別問題にして、みんなね、
「笑われる阿呆」とか「言い出しっぺ」を、
もっと引き受けてもいいんじゃないでしょうか。

感受性が鋭いとか、敏感だとかっていうこと、
いいことみたいに思ってる人がいるけれど、
「そのいいこと」と「いいやつ」ってことがかけ算されてないと、
迷惑なだけなんだよね。
っていうようなことを、そうそうってわかる人が、好きさ。

十人いたら十色あるという、
このゆたかさ、たのしさ、おもしろさをいいもんだなと思うなら、
重箱の隅から目を離してさ、十色のちがいをたのしもうよ。
それとも一億一色で行きたい？

好きも嫌いも、あまり穏やかなものではない。
好きも嫌いもないのに、気持ちよくつきあえるというのが、
きっと、ほんとうはいちばん上等なのだろう。
そうは考えていても、好きやら嫌いやらが、残る。

水木しげる先生の妖怪図鑑のなかに
「じゃ、あんたがやってみろ」って言って、
追いかけてくるような妖怪を入れてもいいですよね。

とにかく、「恥を忍んで声を出す」

というのが創作の基本だねー。

つくり続けてないと、できなくなるんだよ。

恥ばかりわいてきて、声がでなくなる。

「あ、いいこと考えた！」と、

このひと言から、なにもかも、

すべてがスタートするんだと思います。

おーい、みんな、ナイスなつっこみもいいけれど、

「恥を忍んで声に出す」というサーブが先だよぉぉぉぉぉ。

つくづく、ものごとを大きく動かすのは、
「最初のひとり」が大事なんだと思います。
「最初のひとり」の情熱だとか、独自性だとか、
輝きだとか、おもしろがり方だとか、
そういうものがないプランは、ダメなんです。

いまから麻雀をはじめる人だっているし、
いまからソクラテスのことを知りたい人だっているし、
いまからドドンパのリズムを習う人だっているし、
いまからウォーキングをはじめる人だっている。

前からやっている人だとか、
かつてやっていてやめちゃった人からしたら、
そういうのは、みんな「いまさら」に見えるんだ。

だから、自分はもうとっくにやっていたもんね、
というような自慢の意味をこめて、
「いまからやるのかい?」なんて笑うんだよ。
先にやっていたこと、先に知っていたことが、
あたかもすばらしいことのように見せかけるんだ。
でも、おちついて考えればわかるだろ。
先だの後だのってのは、なんの意味もないんだ。

いま、ぼくはなにに憧れているのか？
それはもしかしたら、無視やら嫉妬やらに包装された
ステキなものごとなのかもしれない。

「嫌いだと言いつつも惹かれている」ことについて、
ひとりの時間に、ゆっくり考えたほうがいい。
どういうところが気になるのか、
どんなふうに好きじゃないのか、
好きだと認めるとなにがいけないのか。

こういうことは難しい、こういう方法は無理だ、
こんな考えは甘い、こんな失敗を知ってるか……。
もうね、ものすごくいっぱい聞くんですよ、
何かをはじめようとする時にはね。
たぶん、そういうネガティブな忠告をしたがる人は、
「自分が、きみと同じことをやらない理由」を
語ってるだけなんでしょうね。
けっこう落ちこませてくれるんです、こういう忠告がね。
なんか、無責任に大笑いして「がんばれや!」って、
言ってくれたほうが、ずっといいんですけどねぇ。

「みんな」がしたいこと、
「みんな」のほしがるもの。
そういうことを考えていくうちに、
考える主体である自分のことが、
しだいに勘定されなくなっていく可能性があります。
「みんな」と「じぶん」は、
ほんとうは重なっているのに、
向かい合っているようになってきたら、
どっちのためにもならないんだよなぁ。

どんな人も、ひとりから始まっているという
「ただのほんとのこと」を思うんです。
だれかといつもいて、いかにも幸せな人も、
ほんとはひとりなんですよね。
ひとりがさみしいとか、ひとりは孤独だとか、
そういう決まり文句につかまってしまうと、
「わたしはひとりじゃない！」と、
ことさらに思おうとしちゃうのですが、
みんながみんな、もともとひとりだっつーの。

「なにかあったのですか?」と、
何人かに質問されたりするのですが、
何もなくたって、人はなにやら考えるものですぞ。
ガムを噛みながら、足を投げ出し、だみ声の音楽を聴き、
人は神妙な顔をしてまじめなことを考えたりもします。

何年ぶりにものすごく腹を立ててしまって、困った。
じぶんの底のほうに、澱のようにたまっている
あんまり歓迎されないような感情が、
もわぁっと動き出してしまう。
もわぁっとのなかには、哀しさみたいなものがあり、
逆に冷静な攻撃性みたいなものも混じっている。
いやなんだよなぁ、こういうじぶんに対面するのって。
でも、いやかもしれないけれど、
こういう本気さって、たまには
ナイル川の氾濫みたいでいいのかもしれないなぁ。

「さみしさ」というものは、人間の感情のなかでも、
とりわけ根源的なもののような気がします。
「うれしさ」とかって、「さみしさ」のこどもですよね。

ひとりでいるときの顔が想像できる人と、
ひとりでいるときの顔が想像できない人とがいる。
ひとりでいるときの顔が、想像できない人とは、
どうにも仲よくなれそうもない。

個であること、孤であることから
逃げないで生きる人の姿というものには、
厳しい美しさがある。

そして、そのうえで、だ。
そしてそのうえで、

ひとりを怖れない人が、
人々の情けを感じるということがすばらしい。
ひとりを怖れない人が、
他のひとりの役に立とうと、走る姿は美しい。

Only is not Lonely.
ひとりであるということは、孤独を意味しない。
ひとりを怖れない者どうしが、
助けたり助けられたりしながら、
生き生きとした日々が送れるなら、
それがいちばんいいと思う。

昔から、よく「のらパンダ」のことを想像する。
ひょいっと家を出ると、パンダがいるわけ。
どこのパンダとかじゃないわけよ、
「のらパンダ」だからさ。
適当に人間にもらったちくわとか食べてるわけ。
いや、考えたくないかもしれないけどさ、
生ゴミなんかもあさって食べてるだろうよ。
だって、ものすごくいるんだもの、のらパンダ。

ミッキーマウスのかたちの「聴診器」があったらいいな。

破壊されたり、踏みにじられる前に、
あたりまえのようにあった「日常」が、
どういうものなのか真剣に思うことも、
戦争を考えることなのですよね。

原爆が落とされたおかげで戦争が終わった、
などという理屈が、
ちょっとでも正しく聞こえたとしたら、
「それはもう、とてもおかしいことなんだよ」と、
ぼくは言いたい。
いや、仮にその理屈が正しいとしたって、
ぼくは正しくない側にいるつもりだ。

家庭内暴力であるとか、
親の子どもに対する暴力だとか、
自分への暴力としての自殺だとかは、
「自分（家族・子ども）といういのち」が、
「自分の所有である」という誤解に
基づいてるのではないだろうか。

ジグソーパズルの１ピースが、
「おれのいのちは、おれのものだ」と言って、
焼身自殺をしてしまったら、どうなるだろう？

他のジグソーたちは、ジグソーパズルであり続けることができなくなってしまうのだ。


自分は、自分の所有物じゃない。

もちろん、家族も、恋人も、
所有物なんかじゃないのだ。

「あらゆる人間は、絶対に誰かの所有物ではない」。

所有者を名乗る者が、たとえ、自分であっても。

「人をばかにしちゃいけない」というのは、よく言われることで、これはもう、まったくもってその通りなのです。
倫理の問題だけではなく、
損得の問題だけでもなく、
快不快の問題だけでもなく、
もっと大きな次元で、ど一んと言えるんだと思います。
「人をばかにしちゃいけない」んです。

で、その「人」のなかには、
つい忘れられがちな一人がおりましてね。
それが、「わたし」なんですね。
「わたしをばかにしちゃいけない」んですよね。

あんがい、ぼくらは「わたし」をばかにしてます。

どうせ、こんなもんだろう、と、
高をくって見ていたりするものです。
ぼくも、そういうところがあります。
「わたし」が、ばかにされてるものだから、
ぐずぐずになっちゃうんですよね。
おそらく、部屋がちらかるのも、禁煙ができないのも、
朝起きられないのも、ダイエットに成功しないのも、
じぶんで、「わたし」をなめてるからだと思うんです。

ぼく自身のことを振り返ってみても、
なにかがうまく行ったときというのは、
じぶんのことを「ばかにしなかった」ときでした。
ずいぶん苦しんだ禁煙にしても、
「どうせ、おまえにはできないんだ」とは、
思わなかったからできた、と言えます。

なんていうかなぁ、子どもの世界では、
「勉強ができる」なんてことは、
まったく、たいしたことじゃなかったんですよ。
遊びのなかで「かっこいい」ことに比べたら、
「勉強ができる」なんてことは、格がちがうんです。
そのへんの感覚は、小学校高学年で身につけたんだなぁ。
ぼくは、そのころに「勉強ができる人」になる道を、
外れたんじゃないかと思います。
「勉強ができる人」なのにかっこいい人は、
「勉強ができる人」であることを克服した人です。

人間、はっきりと役に立たないことに夢中になるべきだよね。
「なんでこんなことに夢中になってるのか？」と、
じぶんにも説明できないこと、やるべきだよね。
そして、それは、自慢することでもなく。
ひっそりと、熱心に、むだに、やるべきでしょう。

ぼくは、子どものころから、
なにかの職業になりたいと思ったことが、
ほんとはありませんでした。
でも、しばしば訊ねられるテーマなので、
そのつどそれなりに考えたのですが、
本気でなりたいと思う職業は、
どうしても思いつかなかったのでした。
いま思えば、ぼくはきっと本気で、
ほんとうのことを言いたかったのだと思います。

子どもって、大人に「負けたい」もあるよね？
「ぼくなんかに、負けてほしくない」という気持ち。
それは、なんか世界の大きさを縮小したくないという
未来への「希望」の問題でもあるし、
歴史への「尊敬」でもあるんだと思います。

冬の教室の、日だまりでのむだ話を、
いまの時代でも、
中学生や高校生たちはやっているのだろうか？

自分には関係も興味もないと思われたことが、
どこかでつながりあっていることを知っていく。
鉄道少年は、サッカーマニアの気持ちを知り、
勉強の大嫌いな子どもが、ガリ勉の家庭を思いやり、
弱虫が、ケンカの強いやつの弱みを知ったりする。

関係も興味もないという世界のことを、
誰が聞きたがるか、というのは愚問である。
新しい景色や習俗が好奇心をくすぐってくれるから、

人々は旅に出るのだ。

同時に、なにもわからない人間に、
誰が自分の専門的な知識を披露するものか、
という想像も、考えが足りなすぎる。
人は理解されることが大好きなのだ。
じょうずに気持ちよく聞いてくれさえすれば、
松井秀喜はホームランの打ち方を、
教えてくれるはずだ。

日だまりのコミュニケーションにとって、
大事なことは、ただひとつなのだ。
それは、「ともだちであること」だけなのだ。

夏休みになりましたよね。
どんなにたくさん生きてきても、
夏休みの時期がくると、夏休みだなぁと思います。

さみしくて、うれしくて、情けなくて、新しくて、悪くて、
暑くて、たいくつで、自由で……すごい旅みたいな季節。
それが、ぼくにとっての夏休みだという気がします。

いま、自分が子どもだったら、
どんな夏休みを過ごしたいのかな。
それが、いくら考えてもわからない。
子どもって、不自由と無力が原則の人間ですからね。
おとなは、その気持ちに戻れないんです、たぶん。

子どもって、なんか天使のようだとか言われたり、
子どものころに戻りたいとか羨まれたりするけれど、
おとなに比べたら、不自由の質量がちがいます。
もう、まったく思うにまかせない毎日です。
ぼくは、絶対に子どものころに戻りたくないです。
無力のかたまりなんですよね、ほんとうは。
子どもたちが、その巨大な無力のかわりに、
神様にもらったものが「遊び」なんだと思うんですよ。
「ともだち」と「遊び」。そのふたつがなかったら、
子どもなんかやってられないですよ、ほんとに。

それはそうと、ちょっとマジメな話なんだけれど、
ぼくは、ほとんどすべてのこどもの「願い」を、
とっくの昔から、よく知っています。
時代が変ろうが、どこの家のこどもだろうが、
それはみんな同じです。

おもちゃがほしいでも、おいしいものが食べたいでも、
強くなりたいでも、うんとモテたいでもないです。
「おとうさんとおかあさんが、仲よくいられますように」
なのです、断言します。

それ以外のどんな願いも、
その願いの上に積み上げるものです。

おとうさんとおかあさんが、
それを知っていたからって、
仲よくできるわけじゃないんですけどね。
それでも、知っていたほうがいいとは思うんです。
両親が、それを知っていてくれるというだけで、
だいぶん、こどもの気持ちは救われます。
仲のいい家族は、それだけですべてです。

『こどものときには言えなかった。』

こどものころは楽しかったよ、
そういう言い方もできる。
とても多くの時間は、
楽しくしていられたようにも思う。

数えあげれば、きりもないほど、
楽しかった思い出を、
ここに並べることもできる。
ぴかぴかしてたり、にこにこしてたり、
みそっ歯で笑ってるような思い出は、
安っぽくて平凡だったかもしれないけれど、
ぼくと、ぼくのともだちが

全力でつくったものだ。

だけれど、思い出さないようにしていても、
忘れてはいないことがある。
こどものころは、つらかったよ。
こどものころって、悲しかったよ。
おとなの機嫌しだいで、
その日その日の、こどもの幸福が決まるんだ。
逃げ出そうと思ったって、
どこにも逃げる場所なんかないし、
そんな方法をおぼえるのは、
おとなになってからのことだった。

なにもできない悲しさを、ぼくは忘れてない。
おとなたちのけんかを止められない。

←

←

おとなたちのでたらめに、さからえない。
勝手にしろと言われたって、
勝手になんかできない。
あかんぼうのころから、
少しずつ大きくなっても、
大きな無力のつなにつながれていた。
言い負かされたり、転がされたりしながら、
かわいがられていた。

こどものころは楽しかったよ、
そういう言い方もできる。
そんなふうに思い出を加工することも、
おとなになったぼくは、
いくらでもできる。

だけれども、すこしも忘れちゃいない。
こどものころは、つらかったよ。
こどものころは、悲しかったよ。
なにひとつ安心してられなかったし、
なんにもできないまま、
おとなにいわれたとおりの場所で、
なるべく明るいことを考えていた。

おとなになるのは、こわかったけれど、
こどものままでいるよりは、ずっとましだった。
おとなになって、ほんとによかった。
もっと早く、おとなにしてもらえればよかった。
でも、それはそれで、さみしいことなんだろうな。

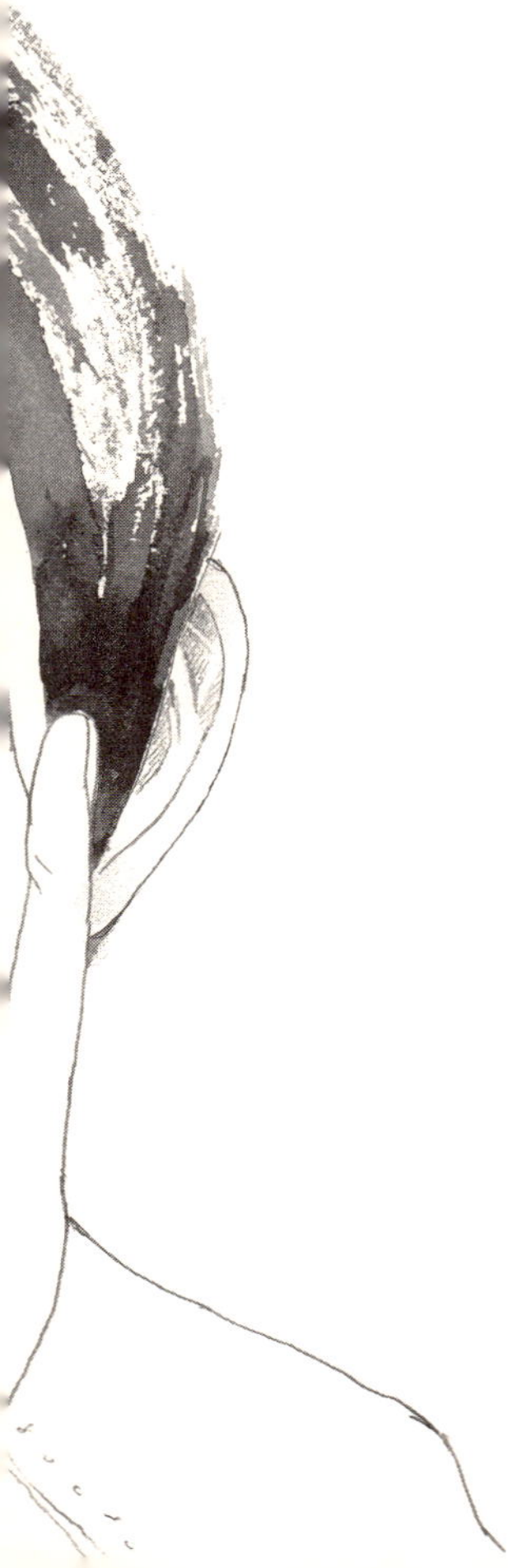

大人になってから、
大人としてやるべきことを、
しっかりやることは、
大人の快感かもしれない。

ただ、それは、
子どものじぶんを静かにさせて、
しっかりやったということではないのかな。
静かにさせられた子どものじぶんは、
押し入れの中で、うらみがましい目で、
大人のじぶんを見ているかもしれない。

断言してみたい。

じぶんとは、子どものじぶんである。
大人のじぶんは、じぶんがつくったじぶんである。
つくったじぶんよりも、
じぶんのほうが、よっぽどじぶんのはずで。
押し入れに閉じこめられても、
さるぐつわをかまされて黙らされても、
そいつは生きて足をばたばたさせている。

よし、言おう。
言ってしまおう。
人間とは、子どものことである。

おまえの背中に乗っかって、
おまえの歩みをじゃましている「おんぶおばけ」は、
おまえじゃないか？

希望。
いいじゃないか、このことば。
希望。ほんとに、そう思う。
希望って、
いいねって言われるためにつくられたことばだよ。

実験中の「脳の細胞の動き」を
見せてもらったことがありました。
たぶんラットの細胞なんだろうけれど、
顕微鏡で見るその世界は、
まるで宇宙船から見た地球の光のようでした。

ランダムにあちこちが発火し点滅していて、
そこやここが、たがいにくっつこうとして
触手を伸ばしあっているような、そんな光景。

あの顕微鏡のなかに見えた「世界」が、
忘れられません。
じぶんなりの直感ではあるのですが、
「わたし」も「せかい」も、
「これだったのか」と見えたように思えました。

点滅してる。
くっつこうとして
気配のする方向に手を伸ばしている。

それが、生きることであり、
それが、生きものであり、
生きものがつくっている社会なのか。

とても具体的に起こっていることを、
ありふれた生きものの脳のなかで、
いつも起こってることを、ただ、見た。
それだけのことなのですが、そうは思えませんね。
ぼくも点滅してます、手を伸ばしています。

伸ばした手が、あなたからの手と結べますように。

なにかに「いちご」を乗せるということは
さまざまな成功を呼び起こすものなのだ。
ぼくが、きみが、
なんか問題を抱えていたとしたら、
あるいは、なんだか鳴かず飛ばずだったなら、
はたまた、もひとつ冴えないようなら、
「いちご」が足りないんだと気付くべきだと思う。

打席に立ったとき、
三振するのも情けないゴロを打ってアウトになるのも、
かまわない。
見逃し三振さえも許してしまおう。
いけないのは、ただひとつ
「打席に立っていることがよろこべないこと」だ。
その打席に立ちたくて目を輝かせたのではなかったのか。

憶えていようと思ったわけでもないのに、
忘れないことは、いっぱいある。
なんでも、
こんなに憶えているものなんだと知っていたら、
もっと丁寧に生きてこられたのかもしれない。
知らなかったのだ。
思い出なんてものは、びゅんびゅんびゅんと、

一瞬の景色として後ろへ後ろへと飛んでいって、
二度と出会うことのない幻だと思っていたのだ。

子どもが、小学生くらいのときに、
こんな話をしてやればよかったぁ、と思った。
いま見ている景色は、
ぜんぶ、後で思い出すものなんだよ、と。

ほんとに話したかったのは、そのことじゃないんだ。
だったら、最初から、
そういう話からはじめればよかったのだけれど、
ともだちとしゃべっているような順番で、
こういう話をしてみたかったのだから、
しょうがない。

どんなに強く言ったとしても、
なかなかわかってもらえるものじゃない。
それは、仕方がないことなのである。
しかし、仕方がないで済ませていたら、
ぼくの投げたいボールは、永遠に、
向こう岸まで届かないということになる。
それでも、ぼくはこのボールを投げたいのだ。
投げたボールが、みんなのところを転がって、
そこでまた、新しいたのしみの輪がひろがっていく。
そんなことを夢みているわけだ。

昼には昼を語るための文体があり、
夜には夜を語るための文体がある。
昼のことばで夜は描けないし、
夜のことばは昼を描きたくもないはずだ。
さて、その境界線にわたしはいる。
おやすみなさい。

よいことわるいことに関係なく、
終わりということを考えるのは、
必ず、なにかのはじまりです。

解説　糸井さんって誰？　なにする人？

松家仁之《まついえまさし》

この本が、中学生や高校生のころ、自分の手もとにあったら、どれだけ息をするのが楽になっただろう、どれだけ「よーし！」と自分を励ますことができただろう、どれだけ「あーそうか」と納得したり、考えなおしたりできただろう、と思います。五十三歳になったいま読んでも、うーむとうなる言葉ばかりなんですけどね、でも、わたしにはちょっぴり手遅れなところもあるかもしれない。やっぱり若い人にこそ読んでもらいたいのです、この本は。

で……これを書いた糸井重里って誰なの？　なにしてる人？

そんな「？」マークが頭の上にぽかんと浮かんでいる人が、これを読んでいるあなただとしたら、それはちょうどよかった。ここでいっしょに考えてみましょう。

まずですね、たとえばですけれど、あなたがお父さんに同じ質問をしたら、なんと答えるでしょう。

「糸井重里って知ってる？」

「知ってるよ」

「なにしてる人なの？」

「コピーライターだろ」

五十歳以上のお父さんは、そう答えるかもしれません。じゃあ、もっとぐんと若い、あなたのお兄さんやお姉さんに同じ質問をしたら、どうでしょう？　こう答えるかもしれませんね。

「ああ、『ほぼ日』の糸井さん？」

それでは、コピーライターの糸井さんと、「ほぼ日」（ほぼ日刊イトイ新聞）の糸井さんでは、いったいどこがちがうんでしょう。


わたしが初めて糸井さんに会ったのは一九八三年でした。もう三十年近く前のことです。糸井さんはまだ三十代の半ばで、当時はまぎれもなく、日本でいちばん有名なコピーライターでした。

入社して一年ぐらいの新米編集者＝わたしは、緊張とドキドキで手にいっぱい汗をかいていました。糸井さんが西武百貨店の広告に書いたコピー、「不思議、大好き。」

は一九八二年、「おいしい生活。」が一九八三年ですから、思えばコピーライターとしての糸井さんのピーク、みたいなタイミングだったわけです。さりげない演出なのに、矢野顕子さんの音楽がすばらしい、日本のCMにあのウディ・アレンが出てる！　とそれはそれは画期的なCMだったんですが……うーん、残念、権利関係の問題があるのでしょうか、YouTubeでは見られないんですね。

糸井さんの名前がどんどんクローズアップされるようになったのは、それよりさらにさかのぼる七〇年代後半からでした。矢沢永吉『成りあがり』（一九七八年）の構成、笑える〝実用書〟『スナック芸大全』（一九七九年）、沢田研二「ＴＯＫＩＯ」（一九七九年）の作詞、湯村輝彦さんと組んだマンガ『情熱のペンギンごはん』（一九八〇年）、村上春樹さんとの競作ショートショート集『夢で会いましょう』（一九八一年）、雑誌「ビックリハウス」の読者投稿ページ『ヘンタイよいこ新聞』（一九八二年）の主宰。

つまり、糸井重里という人は、たしかにコピーライターではあった。ではあったんですが、そのほかにもなにかこう「えたいの知れないおもしろいもの」を世の中に送りだす仕事をいっぱいしていたわけです。雑誌などの活字メディアを中心にして。ついでに書いておくと、読者投稿企画史上、『言いまつがい』（二〇〇四年）と頂点を競りあう名作「糸井重里の萬流コピー塾」がスタートしたのも一九八三年です。この連載を読みたいがために「週刊文春」を毎号買っていた人がたくさんいました。

さて、一九八三年のある一日に戻ります。手に汗し、緊張している二十代のわたし。乃木坂のちょっと奥まったところにある高級マンションの一室が糸井さんの事務所でした。アシスタントの人に招きいれられた室内は、ひとことで言うとかっこよかった。でもひと癖もふた癖もある感じ。インテリアコーディネーターが手がけた模範解答の味気なさ、じゃなくて、糸井さんがひとつひとつ選んでこういうふうになった、という味つけがある。いまでもモヤンモヤンと色付きの液体がうごめくあやしい置き時計を覚えています。そしてそこに、マッチしているのか微妙にズレているのかわからないシーズー犬、トロちゃんがいて、好奇心まるだしでわたしを見上げている。

糸井さんはわたしの話をニコニコ顔で聞いてくれました。ニコニコだけでなく、真面目な顔で考えをめぐらせもする。若い編集者だし、適当にあしらっておけばいいやオレ忙しいし、というのでは全然なくて、この三十分ならこの三十分を、とりあえず全身全霊で応対しよう、という気配が伝わってくるわけです。若い編集者は緊張しつつも、そういう応対の温度にはかえって敏感ですから、この初対面で「糸井さん、いいなァ」と安心しつつ、「穏やか・鋭い・笑っちゃう」の三点セットみたいな人柄につよく惹かれました。

このときなぜうかがったのかというと、「小説新潮」の臨時増刊「大コラム」に原稿を書いていただけないか、という依頼でした。糸井さんは引き受けてくださり、「大コラム」の柱になる原稿「めずらしいトラ」を締め切りぎりぎりで書きあげ、それはのちに『家族解散』（一九八六年）という小説につながっていきます。

それからほどなくして、ふだんは誰も入らないであろう仕事場の書斎に入らせてもらう機会がありました。うす暗い、とても個人的な気配の漂う部屋でした。ああ、糸井さんはやっぱり小説家や詩人みたいに言葉で表現する人なんだ、ここにひとりでいる糸井さんが、ひとりで考えて、じわじわと書いているんだ。ぴかぴかの明るい会議室で大勢で話しあっても、「おいしい生活。」は出てこない、やっぱりそうなんだ、と勝手に腑に落ちたのです。人知れず書いている「孤独な糸井さん」というイメージを、ひそかな宝物のように自分だけで持っていよう、とわたしは思いました。

そして——。十年以上の歳月が流れた一九九八年。糸井さんは数人の仲間とウェブというメディアを使って「ほぼ日刊イトイ新聞」をスタートさせます。世の中がウェブをどう使いこなせばいいか、まだ遠巻きにして様子をうかがっていたころです。糸井さんはこれ以降、コピーを書かないわけではないけれど、事実上はコピーライターではなくなっていた。とにかく「ほぼ日」の運営に全力をあげていたわけです。資金はたいして必要ない。それでもゼロから手探りで始めたから、当初は連日の徹夜作業だったそうです（このあたりのことは、『ほぼ日刊イトイ新聞の本』〔講談社文庫〕にくわしく丁寧に書いてあって、しかもとてもおもしろく、ためにもなるので、ぜひ読んでみてください）。糸井さんは五十歳にして、あらたな創業を果たしたわけです。

それまでのコピーライターとしての仕事も、雑誌の連載もすべて、注文があって引き受けた仕事ばかりでした。依頼主は、企業であり広告代理店であり出版社である。書きあがったものは、テレビ、新聞、ラジオ、雑誌にのって世の中に出てゆく。ところが、「ほぼ日」はそうではない。依頼主はいない。自分たちがこうしたいと思ったものを、つくりたいようにつくり、自分たちが用意した場所にのせる。テーマの制約も枚数の制限もない。しかもお客さんは、どんなに遠くからでも、ウェブにのってやってきてくれる。このちがいは大きい。

二〇〇九年、お願いごとがあったわたしは、青山の骨董通りにある広々とした事務所へ、久しぶりに糸井さんを訪ねました。五十歳をすぎたわたしの話を、糸井さんは、やっぱり昔と同じようにうんうんとしっかり聞いてくれました。笑ったり、ときおり真剣な表情になったりしながら。何よりびっくりしたのは、一九八三年には二人だったスタッフが、四十数名にもなっていたんです（いまはもっと増えて、事務所もさらに広いビルに移りました)。打ち合わせルームの奥に糸井さんの「書斎」があり、そこは風通しがよく、明るくて、さばさばしている。スタッフの誰もが「糸井さーん」と言いながら入っていく様子が想像できる。「ひとり」でも「孤独」でもない感じ。なんだか昔とちがう。わたしが「宝」だと思っていた、孤独なイトイさんの姿は、いつのまにか手のひらからさらさらと砂のようにこぼれて、風に吹かれて消えていった——かと思いきや、どうやらそれほど単純ではないらしい。この本の238、239ページに、こんな言葉が出てきます。

「ひとりでいるときの顔が想像できる人と、／ひとりでいるときの顔が想像できない人とがいる。／ひとりでいるときの顔が、想像できない人とは、／どうにも仲よくなれそうもない。／個であること、孤であることから／逃げないで生きる人の姿というものには、／厳しい美しさがある。／そして、そのうえで、だ。／そしてそのうえで、／ひとりを怖れない人が、／人々の情けを感じるということがすばらしい。／ひとりを怖れない人が、／他のひとりの役に立とうと、走る姿は美しい。／Only is not Lonely.／ひとりであるということは、孤独を意味しない。／ひとりを怖れない者どうしが、／助けたり助けられたりしながら、／生き生きとした日々が送れるなら、／それがいちばんいいと思う。」

ここには、糸井さんが「孤独な」コピーライターであったときから、「ほぼ日」をスタートして、現在にいたるまでの生きてきた道筋が、そのまま書いてあるんじゃないでしょうか。つまり、糸井さんはいまも昔も「個」であり「孤」のままなんです。そのうえで世の中でどう生きてゆくかを考えたり、人の話を聞いたり、しゃべったりしながら、なにかを誰かとつくりだそうとし、つくりだしている。

思えば、糸井さんが大学生だったころ、すなわち「ほぼ日」がスタートする三十年前、一九六八年の日本の都市部では、「連帯」した若者たちがヘルメットをかぶり、角材をふりかざし、石を投げていました。わたしは小学生で、わけもわからずテレビにかじりついてそれを見ていました。それは、ひとことで言えば、「ぶっこわせ」だった。糸井さんもいっとき、その若者のなかのひとりだったらしい。

三島由紀夫という小説家がいました。これからの日本が「無機的な、からっぽな、ニュートラルな、中間色の、富裕な、抜目がない」国になっていくと考え、おそらくは自分の身心の限界にも絶望し、一九七〇年、自衛隊の総監室に立て籠り、割腹自殺しました。この自殺もどこか「ぶっこわせ」と似ている。三島由紀夫が見抜いたことはほぼそのとおりになっているのではとわたしは思っています。三島由紀夫が絶望した世の中に生きているわたしたちが、あらたに生まれてくる若い人たちとやりとりをして、しかも人が孤独であるということを大前提に、いったいなにができるのか。「個」と「個」はどうやっていっしょにやっていけるのか。気難しくない言葉で考え、実際にいろいろやってみて、あたらしいモノや場所、やりとりをつくりだす。それを毎日、ウェブのうえで発信する。小説でも詩でもコピーでもないあたらしい方法で、人と人のコミュニケーションを考え、つくっているはじめての人。それが糸井さんなのではないか。糸井さんだって、ときには「あんなものぶっこわせ」と思っているかもしれない。でも、いまの糸井さんはそうは言わない。「ぶっこわせ」ではなく、「やってみよう」、「つくってみよう」。意地でもそう言い続けようとしているんじゃないか。「うーん、まだよくわからないなあ」という人がいたとしたら、ここまで書いたことぜんぶ忘れてくださってもいいですよ。糸井さんとは、この本に書かれてあるものすべて。これが糸井さんです。以上、おしまい。これでもいいような気がする。

じゃあどうして糸井さんはこういう言葉をボールみたいに投げてくるのかって？　それは、糸井さんがあなたの両親でもなければ先生でも上司でもない。あなたに対してはなんの責任もない、ちょっとへんなおじさんだからです。だから、こんなへんなおじさんが、笑顔でなにか言ったり、やったりしているあいだは、絶望することもない、とわたしは思うのです。

（二〇一二年三月　編集者）

本書は二〇〇七年〜二〇一一年に東京糸井重里事務所より刊行された
『小さいことば』シリーズの単行本、計5冊から抜粋・再編集して構成されたものです。

この本のもととなっているウェブサイト

ほぼ日刊イトイ新聞
http://www.1101.com

ほぼ日刊イトイ新聞は、糸井重里が主宰するインターネット上のウェブサイトです。1998年6月6日に創刊されて以降、一日も休むことなく更新され続けています。PC、携帯電話、スマートフォン、タブレットなどから、毎日無料で読むことができます。

糸井重里のすべてのことばのなかから
「小さいことば」を選んで、1年に1冊ずつ、
本にしています。

2009年

ともだちが
やって来た。

2008年

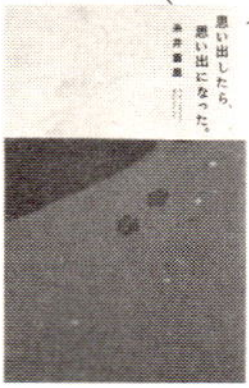

思い出したら、
思い出になった。

2007年

小さいことばを
歌う場所

2012年

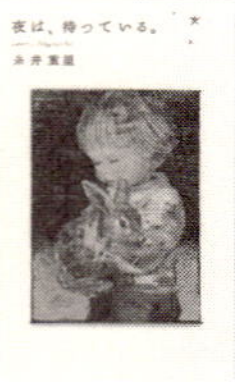

夜は、待っている。
装画・酒井駒子

2011年

羊どろぼう。
装画・奈良美智

2010年

あたまのなかに
ある公園。
装画・荒井良二

ほぼ日ブックス

「小さいことば」シリーズ
既刊のお知らせ。

2015年

忘れてきた花束。

装画・ミロコマチコ

2014年

ぼくの好きなコロッケ。

カバーデザイン・横尾忠則

2013年

ぽてんしゃる。

装画・ほしよりこ

2017年

思えば、孤独は美しい。

装画・ヒグチユウコ

2016年

抱きしめられたい。

ニット制作・三國万里子
写真・刑部信人

ボールのようなことば。

二〇一二年四月十七日　初版発行
二〇二三年六月六日　第十三刷発行

著者　糸井重里

発行所　株式会社ほぼ日
〒101-0054
東京都千代田区神田錦町3-18　ほぼ日神田ビル
ほぼ日刊イトイ新聞　https://www.1101.com/

構成・編集　永田泰大
進行　茂木直子
協力　斉藤里香・山口靖雄・廣瀬正木
本文イラスト　松本大洋
本文デザイン　清水　肇（prigraphics）
ロゴマーク　イリアヒム・カッソー
印刷・製本　株式会社光邦

ISBN 978-4-902516-77-7　C0095 ¥740E